EL DRAGÓN SIMÓN
Y EL GIGANTE CARASUCIA

GIROL SPANISH BOOKS
P.O. Box 5473 Stn. F
Ottawa, ON K2C 3M1
T/F 613-233-9044 www.girol.com

edebé

Título original: *El drac Simó i el gegantó Carabruta*

© del texto y la ilustración: Mercè Aránega, 2012
Directora de Publicaciones Generales: Reina Duarte
Edición y traducción: Elena Valencia
Diseño: BOOK & LOOK

© Ed. Cast.: EDEBÉ, 2012
Paseo de San Juan Bosco, 62
08017 Barcelona
www.edebe.com

1.ª edición, febrero 2012

ISBN: 978-84-683-0365-9
Depósito legal: B. 32151-2011
Impreso en España - Printed in Spain

EL DRAGÓN SIMÓN

Y EL GIGANTE CARASUCIA

Mercè Arànega

edebé

El dragón **Simón** duerme la siesta bajo una higuera. De repente, desde lo alto de la montaña, caen unas piedras con gran estrépito.

Simón se despierta asustado.

—¡Ay! ¡Huy! —se queja alguien.

«¡Qué jaleo! Alguien se ha hecho daño», piensa **Simón** estirando las orejas.

El dragón vuela hasta la cima de la montaña mientras sigue oyendo los gemidos.

—¡Ay! ¡Huy!

Cuando llega, se encuentra a un gigante tumbado en el suelo chillando:

—He chocado contra unas piedras y me he caído. Me he hecho daño en la nariz.

—Te ayudo en seguida —le dice el dragón *Simón*.

El dragón busca la nariz del gigante, pero sus cabellos enredados y despeinados le tapan la cara.

Mira de nuevo al gigante y ve que tiene las manos negras como el carbón. Los pantalones y la camisa, llenos de manchas. Las botas, con barro.

«¡Vaya! Sí que va sucio… ¡Incluso huele un poco mal!», piensa el dragón Simón.

—¡Ay! ¡Huy! —se vuelve a quejar el gigante.

—El pelo te tapa la nariz y no te la puedo ver —dice **Simón**.

El gigante se retira el pelo de la cara. Mira atentamente al dragón y, sorprendido, exclama:

—¡Eres el dragón **Simón**! ¡Mi madre me cuenta todas tus aventuras!

—¡Qué bien, ahora ya sabes quién soy! —dice sonriendo el dragón.

—¿Y tú eres un gigante, verdad? —pregunta Simón.

—Soy el gigante **Carasucia**. Me llaman así porque no me lavo nunca. El agua me da miedo —explica compungido.

Simón mira la nariz de **Carasucia** y le dice:

—Tendrás que lavarte la cara. Tienes un arañazo en la nariz y además la llevas llena de tierra. Aquí cerca cruza un río. ¡Vamos!

—¡No quiero lavarme la cara! —exclama **Carasucia**, tapándose la nariz con las manos.

—Pues los arañazos se han de lavar con agua e incluso con jabón. Una vez me hice daño en la cola con unos pinchos y mi abuela me curó de esa forma —explica el dragón.

El gigante, enfadado, dice:

—Yo me lavaré la nariz como a mí me gusta, sin agua.

Carasucia coge unas cuantas hojas secas del suelo y se las frota por la cara con fuerza, pero…

—¡Ay! ¡Huy! ¡Así todavía me duele más la nariz!

La cara del gigante ha quedado aún más sucia que antes.

Simón, preocupado, le da la mano a **Carasucia** y, poco a poco, bajan por la pendiente de la montaña para ir hasta el río.

Cuando llegan al río, los patos que nadan tranquilos, al ver un dragón y un gigante tan sucio, se esconden asustados.

El dragón **Simón** tranquiliza a **Carasucia** y le dice que toque el agua despacio, y se lave la cara y la nariz, para limpiar la tierra y la suciedad.

El gigante, tembloroso, se saca una bota, después la otra, y entonces pone los pies en remojo.

—**Simón**, ¿es peligroso mojarse? —pregunta.

—No es nada peligroso —le dice **Simón** al oído—. Va muy bien lavarse. ¿A que te gusta este río?

—Un poco —responde **Carasucia**.

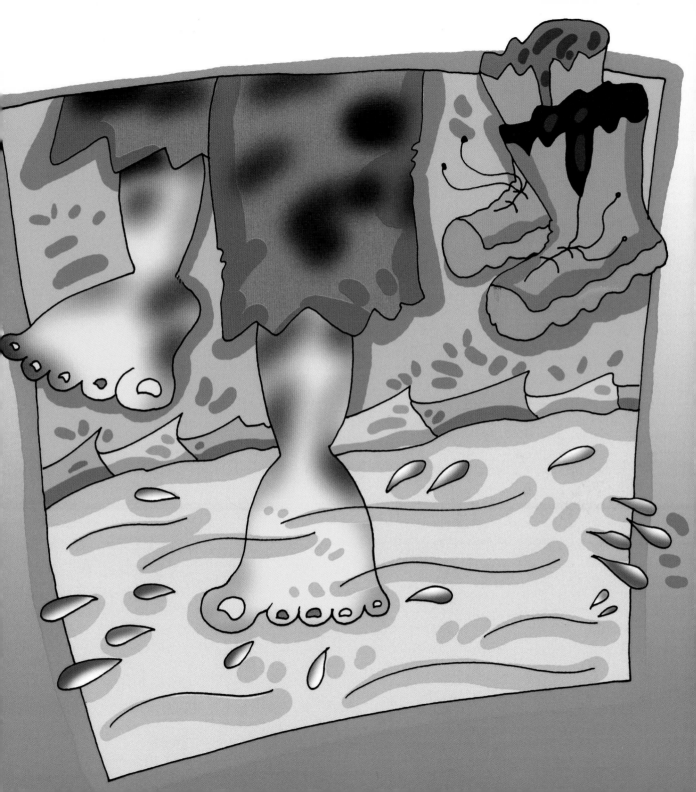

—Ahora tienes que lavarte la cara y la nariz, porque si no, la herida se puede infectar —dice **Simón**.

El gigante pone una mano dentro del agua y se moja primero una mejilla. Después, un ojo. Después, la barbilla. Después, una oreja.

—¡Lávate la nariz, por favor! —le pide **Simón**.

Carasucia cierra los ojos y...

El gigante se lava la cara y la nariz, haciendo mucho alboroto y quejándose.

—Me duele. ¡Ay! ¡Huy!

El dragón **Simón** sopla la nariz del gigante y le consuela.

—En seguida se te pasará.

Los patos han salido del escondite. Son muy curiosos y quieren saber qué está pasando.

Pero el dragón **Simón** ve que la nariz del gigante no queda limpia del todo y, decidido, dice:

—Voy volando a casa de mi abuela a buscar una esponja. Tu nariz necesita que la froten. No te muevas que vuelvo en un plis-plas.

Carasucia se queda tranquilo, esperando al dragón con los pies en el agua y mirando cómo juegan los patos.

Los patos se acercan al gigante. Se zambullen y le salpican.

Las salpicaduras le hacen cosquillas a **Carasucia**, que comienza a reír y a chapotear con los pies.

El dragón **Simón** llega con la esponja y, al ver al gigante tan mojado, piensa:

«Parece que ya no tiene miedo al agua».

—Ten, **Carasucia**, lávate la nariz con la esponja —le dice el dragón.

El gigante, con mucho cuidado, se frota la cara.

Ve que ahora huele mejor. También se frota las orejas, las manos, las rodillas… Hasta que queda bien limpio.

El gigante, contento, se divierte dentro del río, zambulléndose como los patos.

—No pareces **Carasucia**. Ahora te llamarán el gigante **Caralimpia** —dice riendo $Simón$.

El gigante sale del agua. Hace mucho sol y, para secarse, da vueltas por el prado exclamando:

—¡No es peligroso lavarse! ¡Qué bien me siento después del baño! ¡Ya no me duele la nariz! ¡Gracias, Simón!

El dragón y el gigante lo celebran con un fuerte abrazo.

El gigante, que ahora se llama **Caralimpia** y al que antes llamaban **Carasucia**, os quiere decir algo:

—PARA IR LIMPIO Y PULIDO
HAY QUE LAVARSE
CON FRECUENCIA.

Guía para los padres

1. En el cuento aparecen varios valores sobre la higiene personal. Al acabar la lectura, se pueden trabajar y ampliar.

Los valores son los siguientes:
- Lavarse las manos con frecuencia
- Lavarse los dientes cada día
- Limpiarse y cortarse las uñas
- Cuidarse el pelo
- Cambiarse de ropa

2. Para profundizar un poco más, se puede hablar también sobre:

- Las caries. Hay que lavarse los dientes después de cada comida.
- Los piojos. La importancia de tener cuidado y limpio el pelo.
- Las bacterias y las infecciones. La importancia y la necesidad de desinfectar las heridas.

3. También se puede contestar a las siguientes preguntas:

- ¿Qué sensación tenéis después de lavaros?
- ¿Os gusta la hora del baño?

Actividades

• ¿Qué recuerdas de la lectura?
El dragón **Simón** duerme la siesta cuando
se despierta asustado. ¿Recuerdas por qué
y dónde está?

• ¿Te acuerdas de qué pregunta el gigante cuando
pone sus pies en remojo?

• Para hacer muchas pompas de jabón es necesario:
poner agua en un vaso y añadir unas gotas de jabón
líquido, seguidamente lo mezclas todo e introduces
dentro una pajita, la sacas y soplas flojito.